Gia

COME UNA FARFALLA

Alla mia famiglia,

e a tutti coloro che mi sostengono

donandomi Amore

PREFAZIONE

Non è facile per una persona non disabile entrare nel mondo di un qualunque ragazzo che presenta determinate difficoltà. Prima di conoscere Giada, la parola "disabilità" non aveva mai fatto parte della mia vita così da vicino. Certo, ho conosciuto vagamente delle "persone speciali" ma mai nessuno mi ha concesso di poter stare al suo fianco.

Sì, perché loro ti osservano. E poi ti scelgono. Non consentono a chiunque di far parte della loro esistenza. Valutano in primo luogo i cuori. Se hai un cuore buono, lo percepiscono immediatamente. Possiedono questa speciale capacità di guardare oltre, perché fin da bambino un disabile impara che oltre l'apparenza fisica c'è qualcos'altro di più consistente che è l'anima.

Io e Giada non ci siamo mai incontrate. Lei mi ha donato la possibilità di poter scrivere insieme il suo primo libro, e tutti i nostri contatti sono avvenuti esclusivamente tramite telefono.

Anche questo, per me, rappresenta una grande novità. Sì, perché è raro stringere legami solo ascoltando la voce di uno sconosciuto.

Eppure, questo, mi ha fatto comprendere quanto l'aspetto esteriore possa condizionarci.

Alle volte anche guidarci.

Non ho mai visto il volto di Giada, non ho vissuto in prima persona tutte le dettagliate descrizioni che mi ha fornito in merito al suo aspetto. Però le ho immaginate. E non l'ho fatto in maniera negativa, anzi.
Quando la penso, immagino sempre una farfalla. Piccola, indifesa, ma libera.

Libera dai pregiudizi, dal timore, dai turbamenti e dal dolore. Una dolce farfalla che danza al ritmo di una musica che nessun altro può sentire. Perché è tutto vivo dentro di lei.

Questa esperienza mi ha fatto comprendere cose alle quali non avevo mai pensato.

In primis, di fronte a ogni suo "non potevo, ma ce l'ho fatta" mi sono resa conto di quanto le grosse difficoltà della mia vita, in fondo, siano davvero insignificanti. Molte volte siamo noi stessi a porci dei limiti, a pensare che i nostri sogni siano irraggiungibili. Basterebbe solo una spinta in più.

In secundis, ho capito che se solo ognuno di noi si focalizzasse sull'interiorità e non sulla parte esteriore, il mondo sarebbe di certo migliore.

È da perfetti ignoranti discriminare qualcuno perché diverso.

Ma chi è il diverso? Viene rappresentato dall'altro. Qualcuno identificato come estraneo alla propria realtà. Dal momento che il concetto di etnocentrismo sembra essere superato, ne conviene che il rapporto con l'altro può portare a una migliore conoscenza di sé e della propria cultura. Questo significa che potremmo valorizzare ciò che ci sembra estraneo, perché il rifiuto di esso non porterebbe a logiche azioni.

Dunque, se avessi deciso di parlare con Giada disabile la mia condizione sarebbe rimasta immutata. Io, invece, ho scelto volontariamente di parlare con il suo cuore. E il nostro rapporto cuore-cuore mi ha portata a un innalzamento del mio stesso essere.

Quello che desidero è ringraziarla per avermi dato modo di sperimentare che l'essenziale è invisibile agli occhi, come scrisse Saint-Exupéry.

Le persone con handicap portano dentro loro una sofferenza talmente grande che, per i più fragili psicologicamente, può portare a delle conseguenze gravissime. Ecco perché non bisognerebbe mai, in nessun modo, urtare la loro sensibilità.

Per fortuna, questo non è il nostro caso. Lei è forte come una roccia. Ha compreso da piccola che la disabilità non impedisce tutto. Le crea qualche difficoltà che riesce sempre a superare.

Questo è motivo di orgoglio non solo per la sua stessa persona, ma anche per coloro che le stanno accanto quotidianamente.

Grazie, Giada.

Spero che la tua storia possa essere una testimonianza, e che il ricordo di questo progetto possa accompagnarti sempre.

Con affetto,

Martina Lanzetta

1
VENUTA AL MONDO

Mi chiamo Giada, ho ventun anni e sono nata a Ragusa, in Sicilia. La mia vita è sempre stata molto particolare.

Perché? Semplice. Sono una ragazza disabile.

I primi secondi della mia vita non ho respirato e l'ossigeno non è arrivato al cervello. Il mio problema coinvolge i muscoli, sia volontari che involontari. Cammino un po' male, e controllo un po' male i movimenti del corpo. Non ho una parte, un arto, un muscolo che non sia stato lesionato a causa di quei secondi.

Sì, quei pochi secondi al momento della nascita che mi hanno causato la tetraparesi spastica: una forma di paralisi che coinvolge, per l'appunto, la muscolatura di tutti e quattro gli arti.

Il mio arrivo al mondo era previsto per il due giugno del 2001, ma in realtà ciò è avvenuto ben due mesi prima. Sono nata il due aprile. Il giorno precedente, mia madre si sentì talmente tanto male che i medici, in ospedale, le dissero di dover scegliere addirittura fra la mia vita e la sua.

Niente di più doloroso per una donna. Ma lei non esitò nemmeno per un istante, e scelse me a costo di sacrificarsi perché un figlio è un dono, un pezzo di te che arriva direttamente dal tuo cuore e questo, le vere madri, lo sanno.

Per fortuna, però, il destino con noi è stato benevolo e i medici sono riusciti a mettere in salvo entrambe le nostre vite. Ma quei maledetti secondi mi hanno causato la disabilità per sempre.

Neppure il tempo di uscire dalla pancia che venni portata via dalla stanza in cui nacqui e posizionata dentro un'incubatrice.

All'inizio, mia madre non conosceva il motivo per il quale non c'eravamo ancora potute incontrare.

Quando cominciò a domandare di me, i medici e le infermiere la informarono della mia condizione, ma aggiunsero che data la situazione avrei anche potuto non sopravvivere. Allora decise di non vedermi per un po' di tempo.

Tardò ancora il nostro primo incontro, ma lo fece per paura di affezionarsi a una figlia che avrebbe potuto amare solo per un breve periodo della sua esistenza.

Come giudicarla, in fondo? Non oso immaginare ciò che sentì dentro di lei nel corso di quei giorni: tutto il dolore, la paura di perdermi per sempre. Mio padre si armò di coraggio e, giorno dopo giorno, venne a trovarmi nel reparto di rianimazione per portarmi il cibo.

Dai suoi racconti so che ero piccolissima, un vero scricciolo. Pesavo un chilo e otto, ma col passare del tempo arrivai a pesare addirittura novecento grammi.

Sono stata in incubatrice per circa tre mesi, quindi non sono subito andata a casa come tutti gli altri bambini. I medici erano molto attenti alla mia condizione di salute, monitorando continuamente il mio peso.

Quando finalmente mamma si decise a conoscermi, aveva il timore persino di toccarmi per paura di farmi male. Incredibile l'amore che provò fin da subito per me…

Una volta trascorsi tre mesi, i medici convocarono i miei genitori per dire loro cosa pensavano in merito alla mia situazione: avrei vissuto in stato vegetativo per tutta la vita e il consiglio era quello di abbandonarmi in un centro per disabili a Modica. Così, con tutta la crudeltà possibile.

Era la loro prima volta da mamma e papà, e tutta la gioia che avevano provato per mesi e mesi sembrava essersi frantumata in piccoli pezzi divenuti polvere.

"Non pensate che questa bambina potrà camminare, perché non lo farà mai. Vivrà per sempre seduta su una sedia a rotelle."

Quella versione, però, non li convinse affatto. Non mi avrebbero mai lasciata da nessuna parte, soprattutto senza aver prima lottato. Così, dopo un po' di insistenza da parte del personale medico che continuava a sostenere di dovermi portare in un centro per disabili, riuscirono a farmi dimettere per portami a Pisa. Fu lì che le cose iniziarono davvero a cambiare.

I medici di Pisa informarono la mia famiglia della mia paralisi cerebrale, ma aggiunsero che di certo non avrei vissuto in stato vegetativo. Con tanta fisioterapia e interventi sarei migliorata. E consigliarono loro di portarmi in altri ospedali per il mondo. Così fecero.

Si diedero subito da fare, perché il loro desiderio era che avessi una vita il più normale possibile. Per questo, mia madre contattò sua sorella che vive da tempo in Germania affinché potesse aiutarla a trovare qualche ospedale adatto alla mia situazione. Mia zia fece qualche ricerca e trovò due ospedali.

Abbiamo vissuto in Germania per ben due anni. In entrambi gli ospedali i medici capirono immediatamente che avrei dovuto subire molti interventi ma, non essendo cittadina tedesca, i miei avrebbero dovuto pagare una somma davvero sostanziosa in denaro a ogni operazione. So per certo che sarebbero stati disposti anche a mettere in vendita la loro stessa casa pur di pagare le spese necessarie.

Un medico, in particolare, per evitare di farci spendere quelle grosse somme, scese a un compromesso. Avrei dovuto, a suo parere, cambiare il mio cognome con quello dei miei zii che erano residenti in Germania. Come se venissi adottata da loro. In questo modo non avremmo pagato nulla. Ma mio padre e mia madre non accettarono...forse per giustificato orgoglio. In preda alla disperazione, non sapevano se esistesse un'altra opzione da scegliere.

Allora, quel dottore, parlò loro di un medico infantile di Milano. In questo modo non si sarebbero spesi troppi soldi e avrei potuto mantenere il mio cognome. In brevissimo tempo mia mamma fissò un appuntamento e il chirurgo mi visitò. Esercitava la sua professione a Milano, ma possedeva anche diversi studi presso Catania, Modena e altre grandi città. Lo incontrammo nello studio di Catania.

Al primo controllo mise in chiaro alcuni punti con i miei genitori. Per prima cosa, voleva che fin da subito mi venisse spiegato, con la massima delicatezza, cosa mi stava accadendo e cosa ancora avrei dovuto vivere. A quel tempo, avevo già sei anni. Sarei stata in grado di comprendere a grandi linee la situazione. E, in effetti, io capii subito.

Secondo il suo parere non bisognava nascondere nulla ai bambini, che a questa età potrebbero essere segnati da traumi irrecuperabili.

Ancora oggi non riesco a non essere d'accordo col suo pensiero.

Dopodiché, ci disse chiaramente che le varie operazioni e la fisioterapia mi avrebbero potuta migliorare solo all'80% ma mai al 100. I medici avrebbero potuto facilitarmi la vita, ma se fossi stata una bambina pigra e non avessi collaborato non sarebbe cambiato nulla in me.

Per fortuna, sono sempre stata volenterosa e ho ben accettato quel secondo intervento della mia vita, ai tendini di Achille, subìto all'ospedale Buzzi di Milano. Lo scopo era di allungare il tendine del tallone per poterlo appoggiare in entrambi gli arti inferiori. Mi è stato messo un gesso per tre mesi, dopodiché sarei dovuta tornare in Sicilia. Ma i miei non erano affatto contenti di ciò. Per via della brutta esperienza riguardante la mia nascita, non volevano che facessi al sud la riabilitazione.

Allora, il medico ci consigliò una clinica a Bosisio Parrini: "La nostra famiglia", in provincia di Lecco. Facevo fisioterapia due volte al giorno e la clinica era molto all'avanguardia. Tanti dei miei ricordi sono legati a medici e fisioterapisti.

Ricordo bene il chirurgo di Lecco. È merito suo se oggi cado in avanti e non all'indietro. Fu lui che riuscì a farmi stare in piedi, ma questo non bastava. Dovevo riuscire a camminare. È stata una gioia mettere i miei piedi per terra la prima volta. Ho pensato "che bello, cammino come gli altri!"

Questo chirurgo ci avvisò del fatto che avrei subìto ricoveri molto lunghi, anche dalla durata di due mesi. E che non ci sarebbe stato un unico intervento, ma moltissimi per delineare e raddrizzare il mio fisico.

Più crescevo più il mio corpo aveva bisogno di interventi. Il mio bacino era storto, e anche questo doveva essere aggiustato. Per raddrizzarlo, subii uno degli interventi più pesanti. Ma sono riuscita ad affrontarlo con forza e coraggio, perché il mio obiettivo era quello di migliorare il più possibile. L'ho fatto al fianco dei miei genitori, che insieme a mia sorella sono i miei angeli. Ci siamo sostenuti a vicenda. Ma quella volta ebbi un piccolo problema. Ero magrissima e, di conseguenza, l'intervento durò ben sei ore.

Stavo per rischiare una trasfusione di sangue ma, ancora una volta, qualcuno dall'alto ha deciso di mettermi in salvo e le cose sono andate per il verso giusto. Quando ho riaperto gli occhi il dolore è stato a dir poco lancinante. Mi hanno persino dato la morfina per una settimana intera e successivamente gli antidolorifici.

Paragono il dolore a quello di un parto, o a quello di un camion passato sopra il proprio corpo. I crampi erano troppo accentuati e la riabilitazione è durata due mesi. Ma tutte le volte in cui mi guardavo allo specchio, e mi osservavo per bene, qualcosa dentro di me cambiava.

Mi vedevo lì, finalmente coi piedi per terra e questo mi rendeva molto felice. Mi faceva dimenticare tutto il dolore vissuto fino a quell'istante, come se ogni cosa fosse stata solo un brutto sogno. Questo mi ha fatto comprendere che tutta la sofferenza, allora, ne è valsa la pena.

E oggi, se mi domandassero "rifaresti ogni cosa?" Urlerei a gran voce che sì, lo rifarei altre mille volte.

Un bel giorno, quel chirurgo di Milano, fece un qualcosa di molto inaspettato che mai sarò capace di cancellare dalla mia memoria. Prese un ferro identico a quello che mi era stato messo dentro al bacino, e mi disse: "*Ti ho portato questo per renderti consapevole di ciò che hai nel tuo corpo, perché dovrai conviverci. D'ora in poi farai attenzione quando camminerai, perché se cadrai sarà rischioso e molto pericoloso per te.*"

Non ha avuto peli sulla lingua. Mi ha messa di fronte a una realtà che, seppur cruda, era comunque quella e io non potevo fare altro che accettarla. Ho rimosso quel ferro dopo quattro lunghi anni. È stato un periodo di attenzione totale a tutto. Una semplice caduta mi avrebbe causato dolori infernali, forse irreparabili.

E allora ho cercato di muovermi con grazia e delicatezza…

Dopo quello, dovetti subire un altro intervento chiamato: *derotazione* femorale. Il mio femore era storto, proprio come il bacino; la derotazione consiste nel ruotare le ossa del femore per renderle dritte. Anche questo è stato molto doloroso.

In totale, nella mia vita, ho subìto diciassette interventi. Sono tanti, troppi per una della mia età. Ma non mi sono mai arresa. Col trascorrere del tempo essi mi hanno solo trasformata, rendendomi migliore.

E, così, ecco che da bruco sono diventata farfalla.

2

SU CON LA VITA!

Il giorno in cui mi sono resa veramente conto di avere una malattia, ho reagito abbastanza… bene.

Perché abbastanza bene? Semplicemente, fin da subito, ho accettato me stessa. Mi sono detta "Giada, tu sei questa. Dalla nascita. L'universo ti ha voluta così, valorizza te stessa."

Non posso negare di non aver mai avuto dei momenti di sconforto, ovviamente. Siamo esseri umani, e in quanto tali soffrire fa parte di noi. Soprattutto durante il periodo dell'adolescenza ho vissuto momenti più in calo, ma ho sempre reagito in tutto e per tutto con la forza interiore.

Non mi sono mai tirata indietro, ho sempre cercato di migliorare me stessa senza mai arrendermi. Chi si arrende senza nemmeno provarci ha già perso in principio! invece, la vita, nonostante la mia giovane età mi ha insegnato che bisogna lottare per ciò che si vuole.

I dottori mi hanno sempre chiarito una cosa: non potrò mai raggiungere la perfezione, il mio corpo conserverà per sempre tutte le sue cicatrici; ma di sicurò potrò raggiungere una vita diversa.

Quando si parla di disabilità è importante che il paziente venga spronato a reagire per diventare migliore. Proprio quello che sono riuscita a fare anch'io. È importante, inoltre, l'aiuto e il supporto che proviene dalle proprie famiglie. Ho conosciuto persone che non hanno avuto qualcuno che li accompagnasse nelle loro difficoltà. Per questo, ringrazierò sempre mia madre e mio padre.

È anche per loro che oggi dico: sono fiera di essere una ragazza disabile. Ho vissuto determinate situazioni e le ho rese parte di me, senza alcun problema. Sono stata proprio io a chiedere aiuto, perché il mio più grande desiderio era essere autonoma. Penso che il vero problema sia solo il limite mentale che ognuno di noi si pone.

Sono cosciente di non poter essere perfetta, ma ho sempre pensato: "*Se posso migliorare la mia vita, perché non farlo*?"

C'è stato solo un unico periodo in cui non sono riuscita ad accettarmi, ovvero quello in cui sono stata costretta a rimanere sulla sedia a rotelle. Avevo da poco subìto un intervento andato a buon fine, ma il problema mi è stato causato nel momento in cui ho iniziato la riabilitazione.

Il radiologo mi disse di poterla fare in un momento che, in verità, era sbagliato. Avrei dovuto attendere ancora almeno una settimana. Per questo motivo, mettendomi in piedi, ho sentito un dolore atroce dentro di me. Mi si era spezzato un osso della gamba, e nessuno mi credeva.

Piuttosto, i medici pensavano che non avessi voglia di lavorare su me stessa.

Effettuando un'altra lastra, si scoprì che il mio osso non si era calcificato bene e che il mio dolore era più che giustificato. Per un anno sono stata costretta a rimanere sulla sedia a rotelle, perdendo la piccola autonomia che avevo acquisito fino a quel momento.

Era imbarazzante, per me, essere aiutata dai miei genitori nel vestirmi o camminare per casa sulla sedia che fino a poco prima utilizzavo solo per i lunghi percorsi. Addirittura, a volte, inventavo delle scuse per non andare a scuola e non essere un peso per i miei. Papà lavorava, e per mamma era faticoso prendermi in braccio e trasportarmi con sé fino a scuola. Ero talmente giù di morale che ne inventavo di tutti i colori.

Mia mamma soffriva molto a causa di dolori fisici, aveva la schiena spezzata per via del mio peso e il mio cuore mi suggeriva di agire in questo modo.

Tutto questo mi è accaduto in un periodo molto delicato della mia vita: l'adolescenza. Solo ora, crescendo, capisco come mi sia servito.

Forse Dio ha voluto mettermi alla prova per farmi capire quanto veramente io sia forte. Magari, se mi fosse capitato più avanti negli anni, sarei riuscita ad accettarlo subito. Ma in una fase così delicata, mi sono tormentata all'infinito.

A oggi, mi sento solo felice e soddisfatta di affrontare a testa alta la vita.

3

VOLEVO SOLO ANDARE A SCUOLA

Il periodo della scuola è stato piuttosto tragico.

Mi sono sempre trovata bene con i miei insegnanti, a eccezione delle mie maestre d'asilo.

Loro non si erano accorte della mia disabilità, o forse ne erano coscienti ma non badavano troppo alla questione. Pensavano che non sapessi contare e parlare, mi mettevano da parte per le recite di fine anno, dicevano a mia madre che a loro giudizio non ero in grado di capire nulla, ed era per questo che a fine anno non mi consegnavano neppure il libro scolastico che, invece, tutti gli altri bambini avevano.

Per quanto riguarda il legame con i compagni non ricordo nulla perché ero solo una bambina.

Quando i miei capirono la situazione, iniziarono a lottare per me anche in quell'ambito. Si rivolsero al preside di quella scuola, che ben presto capì come la mia disabilità riguardava solo l'aspetto fisico e non quello cognitivo.

La questione sembrò essere risolta, ma non ricevemmo mai delle scuse da quelle donne che di certo non erano in grado di esercitare la nobile professione dell'insegnamento.

Con lo scorrere del tempo, per fortuna, non si sono più verificati brutti episodi come quelli.

Alle elementari, però, non ho avuto la fortuna di andare d'accordo con i miei compagni. Non capivano la mia situazione. Portavo i tutori, il che erano molto evidente, cioè dei supporti di plastica che per me erano necessari per poter avere più equilibrio. Quando me li vedevano addosso iniziavano a deridermi e chiamarmi "*gambe di plastica*".

A oggi, ripensandoci, non riesco a dar loro una colpa. Mi rendo conto che erano solo dei bambini, ed è per questo non li ho mai odiati.

Però, le parole hanno un peso che mi sono portata dietro per tanto tempo. Anche i loro genitori non erano da meno, infatti mi viene più semplice attribuire la colpa a questi ultimi.

I bambini non mi invitavano alle feste perché avevo le gambe di plastica, e loro acconsentivano.

Avrebbero, invece, dovuto spiegare ai figli quanto non sia corretto escludere l'altro solo perché è *diverso*.

A quei tempi non mi era stato affidato un insegnante di sostegno. Accadde successivamente, abbastanza tardi, quando avevo già ben nove anni. I miei problemi non sono mai stati cognitivi ma solo fisici; quindi, venne reputato dal fisiatra infantile che non fosse necessario affidarmi un maestro specializzato.

Quando mi vennero diagnosticate la dislessia e la discalculia, ecco che per sole tre ore al giorno, finalmente, dopo tantissime lotte, riuscii ad avere un insegnante di sostegno! Un miracolo! Si è deciso allora di fare un programma adatto a me, identico a quello della classe ma semplificato. Questo tipo di insegnamento è andato bene perché facilitava di gran lunga il mio apprendimento.

Da allora iniziai a non tornare più a casa piangendo, finalmente mi sentivo capita e aiutata.

Una volta finite le scuole elementari, subentrano le medie. Anche lì i miei compagni erano ancora piccoli. I ragazzi di quell'età amano, ad esempio, uscire il sabato per passeggiare nei centri commerciali. E fino a quel momento, devo ammettere, venivo sempre inclusa. I primi due anni sono stata trattata molto bene, ma al terzo anno si è già più grandi ed ecco che subentrarono una serie di entusiasmanti novità: il ballo di fine anno, le uscite in discoteca o quelle di coppia. Iniziarono a formarsi piccoli gruppi in cui io non ero mai inclusa. Mi faceva molto male all'inizio. Per quanto mi sforzassi a mandare tutto giù e soffermarmi sugli aspetti positivi della mia vita, in verità, dentro me si accumulavano tristezza e rabbia.

Anche alle superiori ho trovato dei professori davvero disponibili. Ma, purtroppo, non posso dire lo stesso per i miei compagni. Non mi chiedevano mai di uscire con loro ed ero spesso messa da parte. Alle volte origliavo le loro conversazioni, e li sentivo organizzare uscite e grandi feste. Ma non mi è mai stato chiesto se volessi unirmi. L'unica domanda che riuscivano a farmi, di tanto in tanto, era: "*Come stai oggi*?"

A un certo punto ho iniziato a stufarmi di tutto quello e ho preso una decisione: avrei trovato i miei veri amici al di fuori della scuola.

Tenevo molto all'ambiente scolastico, era lì che riuscivo a esprimere il mio meglio. Ma l'unica persona che frequentavo durante quegli anni era il mio ragazzo.

Una volta diplomata mi sono detta BASTA. Ho iniziato a pensare a me stessa, mettendo da parte i libri e iniziando un nuovo cammino pieno di luce e speranza. Frequentando una delle cugine a cui tengo di più, mi sono lasciata pian piano andare e ho conosciuto molte persone che mi vogliono veramente bene. Loro sono i miei amici con la A maiuscola e capiscono appieno il mio problema. La cosa più importante, per me, è che non mi facciano pesare neanche per un istante la mia disabilità. E lo fanno, ad esempio, scegliendo tutte le volte delle mete che per me sono sempre raggiungibili. Per me questo significa tanto.

A volte vorrei cancellare il periodo della scuola, proprio per tutte queste orribili esperienze.

La considero una fase bella e brutta allo stesso modo. Non riesco a esprimere con le parole quello che mi ha lasciato dentro. Ho ricevuto molte delusioni che mi hanno fortificata, facendomi soprattutto comprendere cosa significa avere degli amici e quanto sia importante la parola amicizia.

Ho sofferto molto; per troppo tempo ho avvertito un peso sulle spalle che, però, la vita mi ha generosamente tolto di dosso.

E io le sarò infinitamente grata per sempre.

4

AH! L'AMOUR…

Ho sempre creduto nell'amore. Per tanto tempo il mio cuore ha atteso, indifeso, che qualcuno lo notasse e decidesse di prendersene cura.

Un cuore fragile, che passava intere ore col naso all'insù e gli occhi puntati al cielo a domandare che qualcosa di bello potesse accadergli.

Il cielo ascolta sempre tutte le preghiere.

Infatti, arrivò un giorno in cui qualcuno decise di afferrare la mia mano e non lasciarla mai.

Da allora il mondo non mi fa più paura.

Io e il mio ragazzo stiamo insieme da molto tempo. Quando ci siamo conosciuti eravamo davvero piccoli, ma questo ci ha concesso di crescere l'uno al fianco dell'altro. Per diversi anni ho vissuto col timore che non avrei mai avuto una relazione. Per un disabile è più difficile, i pregiudizi sono troppi. Ma poi è arrivato lui e, per la prima volta nella mia vita, mi ha fatto sperimentare qualcosa di meraviglioso: la sensazione di sentirsi protetti.

Da allora ne abbiamo fatta di strada. Il nostro rapporto continua a evolversi giorno dopo giorno, e spero che potremo continuare a sorreggerci a vicenda ancora a lungo.

Lui mi ha resa speciale e diversa. Gli sono grata per aver sempre portato fuori il meglio di me. Perché con coraggio mi ha tolto dalle tenebre per portarmi verso una nuova realtà.

Io, oggi, la definisco felicità.

5

BRACCIALETTI ROSSI

Mi piace paragonare i miei rapporti d'amicizia alla serie tv "Braccialetti rossi." Ogni qual volta passo del tempo a rivedere le puntate, mi rendo sempre più conto di quanto le due cose si somiglino.

Io e quasi tutti i miei amici siamo accomunati un po' dallo stesso passato: alcuni sono stati bullizzati, altri hanno sofferto molto la solitudine o trascorso parte della propria vita in ospedale.

In effetti, ho conosciuto molti di loro in una delle cliniche dove sono stata ricoverata per un po' di tempo. Che tempi, quelli! Eravamo ancora più giovani, incoscienti e desiderosi di vivere appieno la vita! Nonostante tutti i nostri problemi, perché quelli non avranno mai il potere di fermarci.

In quella clinica passavamo il nostro tempo a fare delle gare clandestine in sedia a rotella... che spasso! Un, due, tre... e... si parte! Il vincitore sarebbe stato il più forte del nostro gruppo. Un vero e proprio leader.

O, ancora, come potrò mai dimenticare le nostre partite a carte? Occupavamo una qualunque stanza vuota e iniziavamo a fare talmente tanto fracasso urlando, ridendo e scherzando, che a un certo punto le infermiere venivano a rimproverarci interrompendo tutto.

Raggiungemmo il massimo dello splendore quando riuscimmo a introdurre all'interno della clinica le pizze, nonostante fosse vietato! Passavamo intere serate ad abbuffarci di fette di pizza di tutti i tipi. Ci ingozzavamo per paura di essere scoperti, e alla fine molti di noi passavano notti insonni per via di un'indigestione.

Che bei tempi. Il mio bello nel brutto.

In quello stesso posto trascorsi anche uno dei miei compleanni. Strano, no? Passare uno dei giorni più speciali dell'anno circondata da medici, infermieri, tra quelle mura bianche che riescono a donare solo un senso di malinconia.

Quel giorno, i genitori dei miei amici portarono una torta e organizzarono per me una festa a sorpresa. Una delle esperienze più significative che ho vissuto.

In quella clinica era vietato uscire, tranne per quattro ore il sabato e la domenica.

Era suddivisa in tre piani: il piano zero per i bambini con problemi mentali; il primo, dove ero anche io, dedicato alle paralisi cerebrali, o malattie genetiche sconosciute; il secondo piano era il più grave per i bambini con tumore al cervello, o che erano gravemente feriti a causa di incidenti stradali e persino... domestici. Ho conosciuto, ad esempio, un bambino molto piccolo che si era lanciato dalla finestra quando la madre aveva avuto un momento di distrazione.

Quando si entra lì, dovendo viverci per interi mesi, o ci si fortifica o ci si demoralizza del tutto.

È inevitabile fare amicizia con la gente che ti sta attorno. Stavamo lì, finivamo le nostre ore di fisioterapia ma dopodiché non ci era permesso uscire. Per questo, stabilire rapporti umani era anche un modo per *sopravvivere* e mantenere la propria lucidità.

Oggi i miei amici sono tornati a casa, e vivono sparsi per il mondo: Milano, Siena, Brasile... Conservo ancora un video che registrammo tutti insieme prima di separarci, con lo scopo di poterlo rivedere tutte le volte in cui avremmo sentito vicendevolmente la nostalgia di quel periodo trascorso insieme.

Per mia fortuna, oltre ai ragazzi della clinica, ho conosciuto tanta altra gente che tutti i giorni fa parte della mia vita.

Ho un gruppo di amici a cui voglio un bene dell'anima, e con cui passo il tempo quasi tutti i pomeriggi. Amiamo svolgere attività piuttosto tranquille, ci basta sederci su una panchina e trascorrere ore a raccontarci cose che fanno parte della nostra quotidianità. Questa è l'amicizia. Viversi nella semplicità.

Grazie a loro ho capito quanta importanza hanno il rispetto, la sincerità e l'onestà. Ne ho fatto i principi cardine della mia vita.

Devo molto a ciascuno. Perché non è così semplice riuscire a trascorrere la propria esistenza sentendosi tanto amati. E questo, io, l'ho capito molto presto. Di sicuro, gli anni della scuola non mi hanno portato alla costruzione di legami solidi. Ma questo mi ha donato la capacità di guardare oltre, e soprattutto di apprezzare: gesti, parole, sguardi…

Ora non mi resta che vivere.

6

CARA FAMIGLIA

Il rapporto con la mia famiglia è sempre stato speciale. Non mi sono mai sentita abbandonata o messa in disparte da zii, cugini e parenti vari.

In particolare, è a una delle mie cugine che devo molto. La considero una sorella maggiore, con cui posso sfogarmi e sentirmi me stessa… libera.

È stata lei a presentarmi al suo gruppo di amici, e a fare in modo che facessi più esperienze possibili.

E poi c'è zia Graziella, a lei devo ancora di più.

Donna dall'animo nobile, la sua morte ha lasciato in me un vuoto incolmabile. Aveva deciso di trasferirsi al Nord Italia ma, forse nostalgica della sua terra, in seguito ha acquistato una casa al mare in Sicilia dove poter passare le vacanze. Tutti gli anni, puntualmente, veniva a prendermi per farmi trascorrere in quella casa dei lunghi periodi. Sapeva quanto ne avessi bisogno, tanto a livello fisico quanto a quello mentale.

Il mare ti entra nel cuore e ti cosparge della sua forza e potenza.

Quando sono fragile emotivamente mi basta guardarlo e in qualche istante tutto il male sparisce.

Mio padre non poteva mai portarmici per via del lavoro, e mia mamma non ha mai guidato la macchina. E, allora, lei decise di prendersi cura di me attraverso questi suoi dolci gesti.

Da quando non c'è più, mi sento come se una mia parte fosse volata lassù insieme a zia Graziella.

Ogni tanto mi succede di tornare in spiaggia, sedermi e rimanere lì, immobile, a fissare l'orizzonte. Poi alzo gli occhi al cielo e sorrido. So che lei mi guarda ed è felice di vedermi, ancora una volta, al mare.

7
ONLY TIK TOK

Di questo mondo non ne conoscevo neppure l'esistenza. La cosa ha iniziato a incuriosirmi parecchio quando ne parlavano persino in tv.

Tik tok è un social network che permette agli utenti di realizzare video divertenti e creativi di breve durata e argomenti vari.

Decisi di scaricarlo solo per capire di cosa si trattasse, e me ne stavo lì a lungo a scorrere video di ragazzi che ballavano.

Ne guardai un'infinità e scoprii come questo social non fosse dedicato solo ai balli o alle imitazioni, ma che in realtà si andava lentamente trasformando in un "luogo" in cui adulti e bambini hanno visto e continuano a vedere un mezzo di espressione.

Il mio ragazzo mi suggerì di iniziare a fare dei video in cui ballavo, ma compresi subito che non poteva essere il giusto modo per sfruttare al meglio un social così vasto e potente come quello.

Allora, pensai di registrarmi e parlare con la mia voce trattando come argomento la mia disabilità. In tal modo avrei potuto condividere la mia esperienza di vita con altre persone.

I miei video diventarono ben presto virali, ottenendo persino un milione di visualizzazioni.

Di volta in volta continuai a postare trattando sempre la stessa tematica, anche mostrando aspetti di me stessa e del modo in cui affronto la mia malattia.

Attraverso tutto questo ho avuto l'opportunità di conoscere persone provenienti da tutta l'Italia. Come nel caso di una mamma di Arezzo che ha deciso di raccontarmi la storia di suo figlio, anche lui con la tetraparesi spastica. Quel bambino era molto pigro, e questo non aiutava la sua condizione. Io cercai di darle una mano il più possibile, fornendole quante più informazioni possibili su come sono riuscita a migliorare me stessa. Le ho detto di tutto: i luoghi in cui sono stata curata, qual è stato il mio percorso, quali i miglioramenti...

Un altro caso simile riguarda una mamma di Catania. Io e lei abbiamo stretto un legame virtuale che va oltre il semplice digitare un messaggio su un display. Ci siamo promesse che prima o poi ci vedremo per stringerci forte.

Questo mi fa pensare che non sempre i social rappresentano qualcosa di negativo. L'unico momento in cui siamo riuscite a vederci è stato quando, un giovedì d'estate, abbiamo deciso di avviare una videochiamata per poterci finalmente vedere, sentire, incontrare.

I suoi bambini, due gemelli, sono entrambi disabili. Bellissimi e amorevoli piccoli.

Mi dispiace non riuscire tutte le volte a rispondere a ogni singola persona che mi scrive un messaggio. Spesso sono così tanti, che la questione diventa davvero… impossibile. Ma non desidero altro a parte parlare e aiutare ciascuno di loro.

Ormai molto tempo fa, pensai di organizzare un incontro con genitori e figli disabili della Sicilia per poter parlare e conoscerci. Nonostante la vicinanza, non fu possibile a causa della situazione pandemica che continuiamo a vivere ancora oggi.

Il mio desiderio è comunque quello di poter realizzare l'incontro, e so che prima o poi accadrà. Voglio mantenere la mia promessa, so che questo potrebbe essere utile a tanti.

A volte ricevo messaggi da parte di altri ragazzi disabili che decidono di confidarsi con me, raccontandomi vari aspetti e dubbi che li affliggono. Il mio consiglio è sempre quello di non abbattersi, ma crederci sempre.

Ho aiutato, nel mio piccolo, molte persone. Ho deciso di fare di questo lo scopo della mia vita.

È bello quando le persone mi scrivono dicendomi persino che ho la capacità di rallegrare loro la giornata. Questo mi fa sentire importante.

Desidero crescere, acchiappare tutto quello che la vita mi darà in dono perché non bisogna mai abbattersi o tirarsi indietro. Ci si deve buttare a capofitto, in ogni situazione.

La nascita di questo libro mi emoziona, indipendentemente dal successo che avrà.

Desidero solo mettere la mia storia nelle mani di qualcuno ed essere un esempio.

Magari, un giorno, l'era dei social finirà ma il mio libro rimarrà. Sempre. In eterno.

8

SPORT E DISABILITA'

Per una persona disabile lo sport comporta una serie di vantaggi, del tipo: migliorare le qualità fisiche, potenziare aspetti sia cognitivi che psichici o sviluppare competenze socio-relazionali.
Si tratta di una pratica piuttosto recente.
Il primo a capirne l'importanza fu Ludwing Guttman che, nel 1944, cominciò a organizzare allenamenti specifici per disabili.
Da bambina sognavo di diventare una ballerina, per questo chiesi ai miei genitori di portarmi in una scuola di ballo. Ma, all'epoca, non sapevo quanto sarebbe stato difficile per me poter fare una cosa del genere.
No, non mi riferisco alle mie capacità di movimento. Piuttosto, a tutte quelle scuole che mi hanno chiuso la porta in faccia per via della disabilità, affievolendo di volta in volta il mio desiderio.
Ho incontrato un solo maestro che ha accettato di prendersi questa grande responsabilità, pur di rendermi felice. Mi insegnò a ballare hip hop nonostante fossi seduta sulla sedia a rotelle.
Ma la cosa non durò a lungo, purtroppo.

Ero continuamento costretta a viaggiare per via dei miei interventi, e questo ha fatto sì che quel sogno non durasse a lungo. Ovunque andassi, mi veniva sempre detto che l'unico sport adatto a me era il nuoto. Avrebbe fatto del bene alla mia salute. A me l'idea non piaceva, per questo scelsi la danza.
Al sud, lo sport per i disabili conta di meno. Dobbiamo accontentarci del maneggio e del nuoto. In altri casi, nessuno si prende la responsabilità di sorvegliarci per evitare di cadere e farci male… ho rischiato di non fare quello che desideravo per via della disabilità. Vorrei che ci fosse più libertà in questo. Ad esempio, ho recentemente scoperto l'esistenza del "baskin". Cos'è? Si tratta di uno sport adatto ai disabili, che esiste al nord Italia: il basket per disabili. Perché al sud non lo conosciamo nemmeno?
A quindici anni ho smesso di fare fisioterapia. I medici mi dissero che avrei dovuto dare la priorità ai bambini più piccoli, per questo non era più necessario per me farla. In verità non è così.
Per noi disabili è molto importante stare sempre in movimento! I muscoli potrebbero irrigidirsi, e il corpo tornare allo stato iniziale.
Più avanti, decisi che mi sarei voluta iscrivere in palestra. Ma, naturalmente, non posso utilizzare gli

attrezzi come tutti gli altri. Rischio di perdere l'equilibrio, di cadere, non posso utilizzare determinati macchinari perché sforzandomi posso rovinare ciò che gli interventi hanno aggiustato.

Nonostante avessi tutte queste consapevolezze, mi misi ugualmente alla ricerca di una palestra disposta ad accogliermi e a fornirmi un fisioterapista o personal trainer. Sfortunatamente, anche se la mia ricerca è stata lunga, nessuno mi ha riposto positivamente.

Ho avuto enormi difficoltà, e quando finalmente trovai una palestra disposta ad accettare la mia proposta mi venne chiesto mensilmente una grossa somma di denaro.

Vorrei solo che l'inclusione riguardasse ogni aspetto, compreso lo sport. Dovrebbero esserci date più possibilità per poter vivere meglio.

9
LA “VERA” GIADA

La mia passione più grandi sono i tatuaggi. Il primo l'ho fatto a soli quindici anni.

Quando chiesi il permesso ai miei genitori, a quell'età, loro ovviamente mi risposero con un no secco. Ma io continuai a chiedere e richiedere all'infinito, fino a quando cedettero definitivamente.

Decisi di farmi tatuare la frase *Stay strong*, ovvero *Sii forte*. Quando lo dissi ai miei, capirono il vero significato di tutto e quindi mi consentirono di farlo. Il senso di questa scritta è il volermi ricordare tutti i giorni che bisogna essere forti nella vita.

Da lì è iniziata la mia passione, e adesso ho ben undici tatuaggi in tutto il corpo.

A un certo punto, non mi accontentai più dei soli tatuaggi e passai persino ai piercing. Il mio preferito era quello all'ombelico, e dopo mille tentativi coi miei genitori sono riuscita a fare anche questo. Dopo di ciò ho anche fatto un piercing al naso.

Un'altra cosa che amo fare è cambiare colore ai capelli dopo brevi periodi. Ho avuto i capelli rossi, biondi, blu, viola, arancioni e molti altri! Ma adesso sto facendo una piccola pausa per non rovinarli troppo. Da bambina li avevo molto lunghi, ma quando iniziai a frequentare Milano per i vari interventi vedevo le ragazze alla moda portare i capelli corti! A mio padre non sono mai piaciuti in questo modo, per questo prese un colpo quando decisi di cambiare look totalmente accorciando i miei capelli e passando dal lungo al cortissimo!

In passato, il mio sogno più grande era quello di fare la fotomodella. Ho sempre avuto una passione per la fotografia e, quindi, il mio desiderio nella vita era questo. Ho contattato alcuni fotografi di Ragusa ma, quando accennavo alla mia disabilità, puntualmente si tiravano indietro.

All'inizio ci rimanevo male ma, col tempo, ho capito di dovermene fregare.

Fino a quando, un giorno, mi scrisse un bravo fotografo di Ragusa che avevo conosciuto a scuola per un evento. Ha voluto sapere quale fosse la mia storia e io gli ho anche parlato del mio interesse verso la fotografia. Abbiamo fatto un book fotografico che è stato l'unico della mia vita. Ma quando mi sento più ispirata e in vena, costringo il mio fidanzato a farmi da fotografo e lui, armandosi di pazienza, mi accontenta!

10
IL FUTURO

Come immagino la mia vita futura? Bella domanda.

Mi auguro, innanzitutto, che la mia salute possa non peggiorare.

Non penso che mi sposerò mai, questo non rientra tra i miei sogni. Più che altro preferirei una convivenza. L'amore è un gioco di squadra, i vincoli sono del tutto inutili. Mi piacerebbe avere una casa tutta mia e dei figli, chissà. Due, non di più! Mi aspetto anche che tutta la mia famiglia starà bene. Non chiedo molto, amo le cose semplici e vorrei solo una vita in cui essere felice perché *me lo merito.*

Mi piacerebbe moltissimo lavorare con i bambini, in un asilo nido o come baby-sitter. Però, mi rendo conto che la mia disabilità mi impedisce ciò. Si sa, i bambini corrono a destra e a sinistra e io potrei anche cadere da un momento all'altro dato che ho poco equilibrio.

Alle volte credo che il mio scopo sia quello di vivere per aiutare gli altri.

Avrei anche voluto diventare una psicologa, ma il solo pensiero a tutti quegli anni di studio mi fa venire la nausea.

Spesso mi prendo cura di una mia cugina di sei anni, ma non per lavoro, solo per passione.

O ancora, non posso fare la psicologa ma in qualche modo aiuto i miei amici ascoltandoli e mettendomi a loro disposizione. E lo faccio con dedizione.

Anche se non posso fare molto dal punto di vista lavorativo, il mio desiderio più grande è quello di essere ricordata per qualcosa che ho fatto. Vorrei realizzare qualcosa di grande, essere un punto di riferimento per delle persone. Mi piacerebbe anche poter incontrare chi mi segue su Tik Tok, o fare volontariato per aiutare adulti e bambini con problemi gravi.

Io vorrei… vorrei… e, intanto, mi viene detto che non posso per via delle mie condizioni fisiche.

In fondo, che bisogno hanno i disabili di lavorare? Ma chi ce lo fa fare?

Oltre ogni difficoltà pratica, un enorme problema da abbattere è quello del pregiudizio. C'è chi pensa che un disabile non abbia alcuna dote da mettere in pratica. Le discriminazioni sono tante.

La gente vede solo la disabilità, e non considera le vere capacità che una persona possiede.

Il lavoro è importante per una persona disabile. Riesce a farci sentire integrati nella società e ci concede uno scopo per vivere. È un modo di esprimerci, una grande conquista.

Tanti anni fa ho creato un gruppo su Facebook dal nome *"I ragazzi in carrozzina"* di cui però ho perso la gestione. Mi piacerebbe ricrearlo. Vorrei che persone in sedia a rotelle si parlassero fra loro, stringessero amicizia. Perché non sono soli. E fra loro potrebbero donarsi sostegno reciproco e creare legami indissolubili.

Anche se il mio futuro è incerto, vorrei poter creare qualcosa di importante e so che ci riuscirò. Perché, *se puoi sognarlo... puoi farlo.*

Pensieri

Chi mi conosce sa che la scrittura è diventata per me, nel tempo, un mezzo di sfogo.

Mi piace trascrivere i pensieri e vederli passare dalla mente alla carta. In questo modo diventano concreti, reali.

Per questo, ho deciso di raccogliere quelli che più mi stanno a cuore in modo da poter continuare a condividere parte del mio mondo.

N.1

Non avere mai paura

di dimostrare i tuoi sentimenti,

perché non si è mai troppo grandi per dire

"ti voglio bene" o

dare un abbraccio.

Domani potrebbe essere troppo tardi.

N.2

Se la vita è un gioco,

giocaci.

Dimostrale che sei un bravo giocatore,

che non ti arrendi agli ostacoli

del percorso

che il destino ha previsto per te.

N.3

Impara a dare valore

non alla quantità

delle persone che ti circondano,

ma alla loro

qualità.

N.4

Non avere mai paura

di iniziare

qualcosa

per la paura di

fallire.

N.5

Cogli l'attimo fuggente

che la vita ti sta offrendo.

Ricorda:

il treno non passa mai due volte.

N.6

Dì sempre

"grazie" e "prego".

Sii grato per tutto.

Il bene prima o poi

torna indietro.

N.7

Smettila di vederti sbagliato,

smettila di notare i tuoi chili di troppo.

Smettila di non vederti bello.

Nessuno è perfetto,

viva l'imperfezione!

N.8

Fai in modo

che la tua disabilità

non sia

un limite,

ma un'opportunità

che la vita ti offre.

N.9

Non avere paura

di chi ti giudica.

Fa che il tuo motto sia: vivi e lascia vivere.

COME UNA FARFALLA…

La libertà ha molte facce.

La libertà è sentirmi me stessa e non indossare maschere.

La libertà è amare la persona che si vuole, che sia uomo o donna.

La libertà è un amore non possessivo.

La libertà è non dipendere da nessuno, poter dire "ce l'ho fatta da sola. Con il mio sudore e i miei sacrifici."

La libertà è diventare mamma e non aver paura di perdere il lavoro.

La libertà è essere sinceri nel dire qualcosa.

La libertà di qualunque cosa, sempre nel rispetto del prossimo, è il valore centrale di una società in cui ognuno possa sentirsi accettato. In cui ognuno abbia gli stessi diritti degli altri e tutti possano vivere la propria vita senza le oppressioni altrui.

La libertà è sentirsi leggeri, ma così tanto... *proprio come una farfalla.*

Il ricavato delle vendite di questo libro

verrà donato all'Ospedale Giovanni Paolo II di Ragusa,

che si occupa dello sviluppo psicofisico del bambino in tutte le fasi della sua crescita e della diagnosi e terapia delle malattie infantili.

Per contattare l'autrice

E-mail: librogiadamaria@gmail.com

Tik tok: giadalibro01

Facebook: Giada Libro

Grazie per aver scelto il mio libro come lettura.

Printed in Great Britain
by Amazon

42167391R00057